Ag coimeád suas le Síota

Keeping Up With Cheetah

Written by Lindsay Camp
Illustrated by Jill Newton

Irish translation by
Siobhán ní Loingsigh

Mantra Lingua

Thaitin sé go mór le Síota agus Dobhar-each bheith ag déanamh grinn. I ndáiríre ba é Síota a d'inis na scéalta grinn. Níor dhein Dobhar-each ach bheith ag éisteacht leo agus ansin - gáire croíúil rachtúil a ligint amach.

Ní raibh na scéalta grinn chomh greannmhar sin, ach cheap Dobhar-each go rabhadar.

Agus sin an fáth gur chairde na gcarad a bhí iontu.

Cheetah and Hippopotamus loved telling jokes. Actually, Cheetah told the jokes. Hippopotamus just listened and laughed – a deep, bellowy laugh. The jokes weren't very funny, but Hippopotamus thought they were. And that's why they were such good friends.

Ach chuir rud amháin faoi Dobhar-each isteach ar Síota – ní fhéadfadh Dobhar-each rith ró thapaidh.

But one thing about Hippopotamus annoyed Cheetah – Hippopotamus couldn't run very fast.

"Téanam ort a Dobhar-each," a bhéicfeadh Síota go mífhoighneach. "Munar féidir leat coimeád suas liom, ní chloisfidh tú mo scéal grinn nua."

"Come on Hippopotamus," Cheetah would shout impatiently. "If you can't keep up with me, you won't hear my new joke."

Ach ní raibh aon mhaitheas ann. Ní fhéadfadh le Dobhar-each rith chomh tapaidh le Síota. Mar sin dhein Síota cairdeas le Ostrais mar mhalairt.
Tháinig fonn caointe ar Dobhar-each. Ach, mar mhalairt, chleachtaigh sé reathaíocht go dtí go raibh giorra anála ann agus go raibh air luí síos.

But it was no good. Hippopotamus couldn't run as fast as Cheetah. So Cheetah made friends with Ostrich instead. Hippopotamus felt like crying. But, instead, he practised running until he was so out of breath that he had to lie down.

Agus bhí a fhios aige nach bhféadfadh sé coimeád suas le Síota.

And he knew he still couldn't keep up with Cheetah.

Bhí Ostrais in ann coimeád suas le Síota – bhuel beagnach, ar aon nós.
Smaoinigh Síota ar chomh glic is a bhí sé cara chomh maith leis a dhéanamh.
"Ar mhaith leat mo scéal grinn nua a chloisint, a Ostrais?" a d'fhiafraigh sé.

Ostrich could – very nearly, anyway. Cheetah thought how
clever he was to have made such a good new friend.
"Would you like to hear my new joke, Ostrich?" he asked.

"Níor mhaith liom go raibh maith agat," a dúirt Ostrais. "Ní thaitníonn scéalta grinn liom. Rithimid níos mó."

"No thank you," said Ostrich. "I don't like jokes. Let's run some more."

Bhí go leor reathaíocht ag Síota do lá amháin. Theastaigh uaidh scéalta grinn a insint. Mar sin dhein sé cairdeas le Sioraf mar mhalairt. Anois bhí Dobhar-each díongbháilte go rithfeadh sé chomh tapaidh le Síota.

Cheetah had run enough for one day. He wanted to tell jokes. So he made friends with Giraffe instead. Now Hippopotamus was even more determined to run as fast as Cheetah.

Mar sin chuaigh sé i bhfolach agus bhreathnaigh sé fad is a d'imigh Sioraf agus Síota thart lena gcosa in airde. D'eitil cosa fada Sioraf os a chomhair agus dhein Síota a eireaball a ghreadadh ó thaobh go thaobh chun a chothromaíocht a choimeád.

So he hid and watched as Giraffe and Cheetah galloped by. Giraffe's long legs flew out in front and Cheetah lashed his tail from side to side to keep his balance.

Ansin dhein Dobhar-each iarracht an rud céanna a dhéanamh. Ní raibh sé éasca.

Then Hippopotamus tried to do the same. It wasn't easy.

Thit Dobhar-each de PHLIMP!
Ní bheadh sé in ann coimeád suas
le Síota go ceann tamaill fós.

Hippopotamus fell down with a CRASH!
It would be a long time before he could
keep up with Cheetah.

Bhí Sioraf in ann – bhuel
beagnach, ar aon nós.

Giraffe could – very
nearly, anyway.

"Ar mhaith leat mo scéal grinn nua a chloisint, a Sioraf?" a d'fhiafraigh Síota.
"Gabh mo leithscéal?" a dúirt Sioraf. "Ní féidir liom tú a chloisint ón áit thuas anseo."
"Cén mhaitheas atá i gcairde nach n-éisteann le do scéalta grinn fiú?" a cheap
Síota go feargach.

"Would you like to hear my new joke, Giraffe?" Cheetah asked.
"Pardon?" said Giraffe. "I can't hear you from up here."
"What's the good of a friend who doesn't even listen
to your jokes?" thought Cheetah crossly.

Agus dhein sé cairdeas le Híéana mar mhalairt.
Nuair a chonaic Dobhar-each é seo bhraith sé go mór trí chéile.
Ní raibh ach rud amháin a chuirfeadh biseach air.

And he made friends with Hyena instead.
When Hippopotamus saw this, he felt hot and bothered.
There was only one thing that would make him feel better.

Iomlasc iontach, fada, doimhin, láibeach.
Ba bhreá le Dobhar-each a bheith ag iomlascáil. Thaithin sé níos mó leis nuair
a bhí sé níos doimhne agus níos láibí. Ach ní raibh iomlasc aige le fada,
mar dúirt Síota go raibh sé salach.

A good, long, deep, muddy wallow.
Hippopotamus loved wallowing. The deeper, the muddier, the more
he enjoyed it. But he hadn't had a wallow for a long time, because
Cheetah said it was dirty.

"Bhuel," a smaoinigh Dobhar-each, "Anois is féidir liom pé rud gur mhaith liom a dhéanamh." Agus thumaigh sé isteach san abhainn – PLEIST! Bhraith sé go hiontach.

"Well," thought Hippopotamus, "I can do what I like."
And he dived into the river – SPLOOSH!
It felt wonderful.

Fad is a luigh sé ansin, smaoinigh sé ar cé chomh amaideach is a bhí sé.
Ní fhéadfadh sé rith go tapaidh, ach bhí sé in ann iomlascáil. Agus cé go raibh brón
air cara a chailliúnt, bhí a fhios aige nach bhféadfadh sé coimeád suas le Síota.

As he lay there, he thought how silly he'd been. He couldn't run fast,
but he could wallow. And although he was sad to lose a friend,
he knew that he would never be able to
keep up with Cheetah.

Bhí Híéana in ann – bhuel beagnach, ar aon nós. Bhí áthas ar Síota.
"Cnag, cnag," a dúirt Síota.
"Ha-hee-he-heeee!" a dúirt Híéana.

Hyena could – very nearly, anyway. Cheetah was very pleased.
"Knock knock," said Cheetah.
"Ha-hee-he-heeee!" said Hyena.

"Ba chóir duit, 'Cé atá ann?' a rá," a thug Síota mar áladh dó. "Cén mhaitheas a bheith ag insint mo scéal grinn nua, má thosnaíonn tú ag gáire sula dtagaim go dtí an chuid is greannmhaire?"
"HAH-EH-HEH-HEE-HEE!" a bhéic Híéana.

"You're supposed to say, 'Who's there?' " snapped Cheetah. "What's the point of telling my new joke, if you laugh before I get to the funny bit?"
"HAH-EH-HEH-HEE-HEE!" screamed Hyena.

Ansin ba léir do Síota go raibh cara difriúil ar fad uaidh. D'fhéadfadh sé rith leis féin, ach ní raibh greann i scéalta grinn muna raibh duine ann a éistfeadh leo – agus a thosnaigh ag gáire nuair a bhí sé greannmhar amháin. Cá bhfaigheadh sé cara mar sin?

Then Cheetah realised that what he really needed was a different sort of friend. He could run by himself, but telling jokes was only fun if someone listened – and only laughed at the funny bits. Where could he find a friend like that?

Bhí ceann aige cheana féin! Rith Síota go dtí an crann fothainiúil ach ní raibh Dobhar-each ann. Fad is a shiúil Síota ón áit go mall, smaoinigh sé ar cé chomh amaideach is a bhí sé chun cara chomh maith sin a chailliúnt.

He already had one! Cheetah ran to the shady tree but Hippopotamus wasn't there. As Cheetah walked slowly away, he thought how silly he had been to lose such a good friend.

Go tobann chonaic sé péidhre súile
ag breathnú air ón abhainn.

Suddenly he saw a pair of eyes
watching him from the river.

"Cnag, cnag," a dúirt Síota.

"Cé atá ann?" a dúirt Dobhar-each.

"S-í-í-í ota, gan amhras!" a dúirt Síota.

Agus thosnaigh Dobhar-each ag gáire agus ag gáire.

"Knock knock," said Cheetah.

"Who's there?" said Hippopotamus.

"H-eetah, of course!" said Cheetah.

And Hippopotamus laughed
and laughed.

Information

Jokes

Lindsay Camp
Author

Jill Newton
Illustrator

a b c d e f g
h i j k l m n
o p q r s t u
v w x y z

Question